ISBN : 978-2-211-08459-8

© 2003, l'école des loisirs, Paris
Loi numéro 49 956 du 16 juillet 1949 sur les publications
destinées à la jeunesse : septembre 2003
Dépôt légal : mars 2007
Imprimé en France par Aubin Imprimeur à Poitiers

Gérald Stehr

Foufours
et Ouakari

Illustrations de Frédéric Stehr

l'école des loisirs
11, rue de Sèvres, Paris 6e

« À l'aide ! C'est le déluge !
Foufours, réveille-toi ! »
Foufours se lève pour ouvrir à Grisli.
Ça alors ! Il a les pieds dans l'eau !

« Que se passe-t-il ? » demande Foufours à moitié réveillé.
« C'est une catastrophe ! » dit Grisli. « Il n'arrête pas de pleuvoir et le grand barrage du Lac d'en Haut va craquer. Toute la vallée va être inondée ! Tout va être emporté ! Dévasté ! »

« Dépêchez-vous ! » dit un castor, « on ne tiendra pas longtemps ! On a besoin de tout le monde pour consolider le barrage ! Vite ! » « Oh là là ! » gémit Grisli. « Adieu ma belle vallée ! Oh là là ! » « Arrête de te lamenter », dit Foufours. « Allons tous au barrage. »

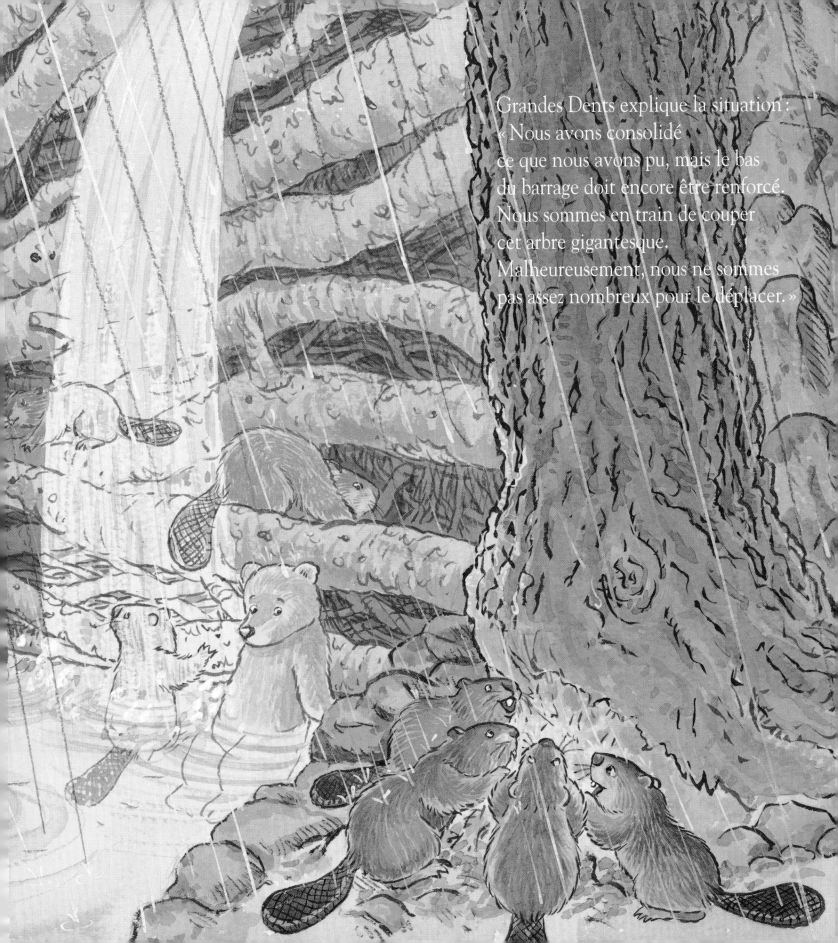

Grandes Dents explique la situation :
« Nous avons consolidé
ce que nous avons pu, mais le bas
du barrage doit encore être renforcé.
Nous sommes en train de couper
cet arbre gigantesque.
Malheureusement, nous ne sommes
pas assez nombreux pour le déplacer. »

Tandis que Foufours donne un coup de main aux castors, Grisli
s'approche de la maison de l'unique habitant des lieux : Ouakari.
« Hé, toi ! Tu ne pourrais pas nous aider ? »
« Non. Pas question », répond sèchement Ouakari en fermant
son volet.
Foufours a tout entendu.
« Laisse-moi faire », dit-il à Grisli. « Je vais lui parler. »

« Ouakari, on a vraiment besoin d'aide. On a besoin de tout le monde ! »

« Pourquoi je vous aiderais ? Ma maison ne risque rien », dit Ouakari.

« L'inondation menace la vallée, et alors ? J'ai dû me réfugier ici, tout en haut de la montagne, loin de vous tous, parce que vous n'arrêtiez pas de vous moquer de moi. Vous m'appeliez Tête de Fesse, et ça vous faisait rire. »

Foufours réfléchit, puis dit à Ouakari :

« Tu as une jolie vue, d'ici. Si le barrage craque, l'eau va tout emporter, tout dévaster, ce sera horrible. Tous les jours, en te levant, tu verras les arbres arrachés ou cassés. Ce sera démoralisant à regarder. »

« Bon, ça va, j'ai compris ! » dit Ouakari. « Mais attention, ne vous trompez pas : si je vous aide, ce n'est pas pour vous, c'est uniquement pour ma vallée ! »

Foufours, Grisli, Grandes Dents et Glouton
essaient de déplacer l'énorme tronc pour consolider le barrage.
« Alors, que fait Ouakari ? Il vient nous aider ou pas ? » demande Grisli.
« Il doit faire sa sieste ! » se moque Glouton.
Juste à cet instant surgit Ouakari, une énorme corde à la main.
« Attendez, on y arrivera mieux en l'attachant », dit-il.

Mais l'arbre est vraiment trop lourd.

« On n'y arrivera jamais comme ça », constate Grisli.

« J'ai trouvé la solution ! » s'exclame Ouakari. « Regardez ce qu'on va faire :
on va soulever l'arbre avec un contrepoids. Il faut trouver un grand panier,
et le remplir de grosses pierres. »

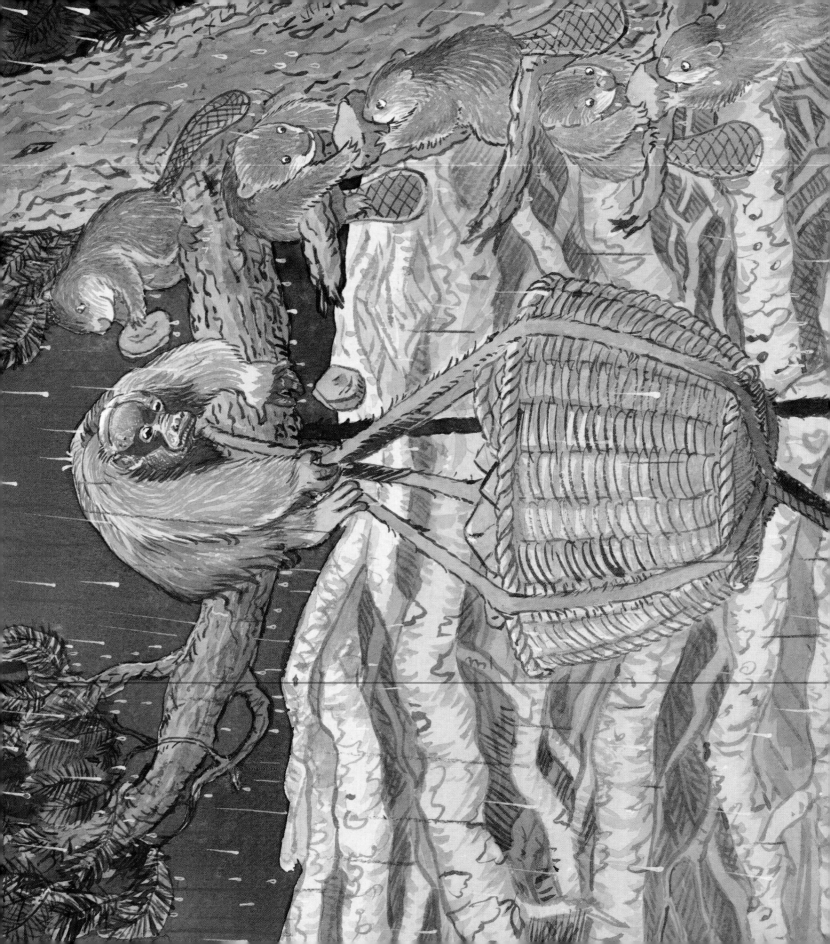

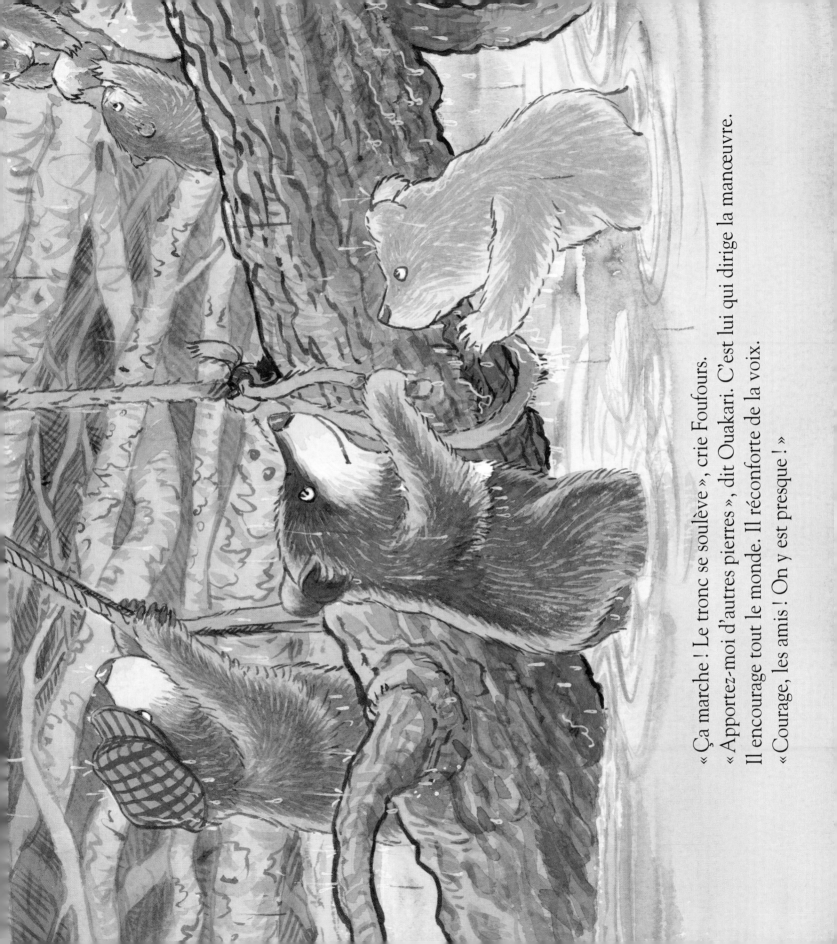

« Ça marche ! Le tronc se soulève », crie Foufours.
« Apportez-moi d'autres pierres », dit Ouakari. C'est lui qui dirige la manœuvre.
Il encourage tout le monde. Il réconforte de la voix.
« Courage, les amis ! On y est presque ! »

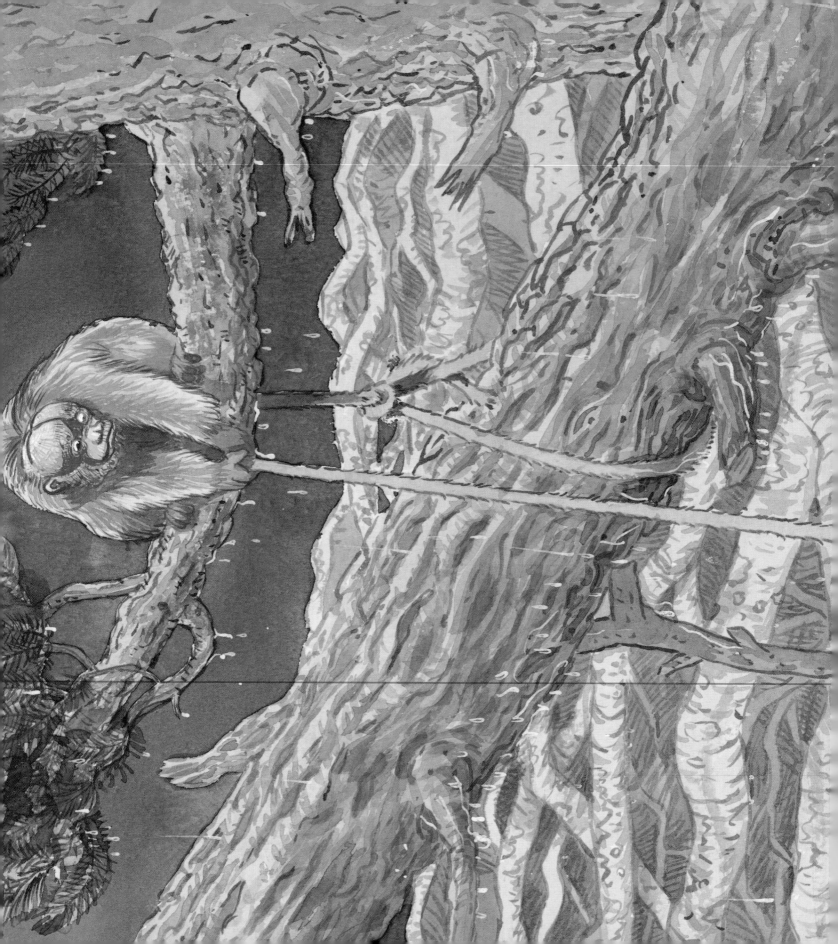

« Allez ! Un dernier effort ! »

Tout le monde remercie Ouakari.

« Bravo ! Quelle idée géniale tu as eue ! La vallée est sauvée, merci ! merci ! »

« Au revoir », dit Ouakari.

« Moi aussi, j'ai une idée », dit tout bas Foufours. « Ce soir, nous irons tous chez lui et nous lui ferons une surprise. »

« Oh mes amis, c'est si gentil à vous, quelle merveilleuse idée,
ce téléphérique ! »
« On le commence demain », dit Foufours.
« Oui, mais attention », dit Grisli, « ce ne sera pas pour venir te voir.
Ce sera uniquement pour admirer notre belle vallée ! »
Tout le monde rit de bon cœur et porte un toast à la beauté de la vallée…
et au nouvel ami !